Eleonore Beck / Eckart zur Nieden

Danke, daß ich fröhlich bin

Kindergebete

R. BROCKHAUS VERLAG WUPPERTAL UND ZÜRICH

VERLAG BUTZON & BERCKER KEVELAER

Umschlaggestaltung: Carsten Buschke, Solingen
Umschlagfoto: Dr. Müller – ZEFA, Düsseldorf
Text-Illustrationen: Hans Deininger, Stuttgart
Satz: Breklumer Druckerei Manfred Siegel KG
Druck: Druckerei Uhl, Radolfzell
ISBN 3-417-24618-0 (R. Brockhaus)
ISBN 3-7666-9697-1 (Butzon & Bercker)

INHALTSVERZEICHNIS

Du hast mich lieb

Danke für die schöne Welt

Miteinander – Füreinander

Du hast mich lieb

Ich bete zu dir

Meine zwei Hände, immer gesund
zum Spielen den ganzen Tag,
mit denen ich den Ball
werfen kann nach Herzenslust,
jetzt will ich sie falten
und beten zu dir, Vater im Himmel.

aus Indonesien

Gott, du bist gut,
dir kann ich alles sagen.
Gott, du bist nah,
ich brauche dich nicht
zu suchen.
Gott, du hörst, auch wenn ich
mit leiser Stimme bete.
Bleib mir nah wie ein Freund,
dann brauche ich nichts
zu fürchten.

Mein Gott,
du kennst mich, wie kein Mensch mich kennt.
Du weißt, was ich denke und plane.
Du weißt, was mich freut, und auch,
was mich traurig macht.

Du weißt, was ich meinem Vater und
der Mutter nicht sage.
Vor dir kann ich nichts verbergen.
Und vor dir brauche ich nichts zu
verbergen.
Denn du liebst mich, und du stehst
zu mir.
Das gibt mir Mut.

Wenn ich meinen kleinen Bruder
an die Hand nehme,
kann er besser laufen.

Wenn ich mit meinem Vater
in die Stadt gehe, faßt er mich an,
damit mir nichts passiert.

Lieber Gott,
führst du mich auch,
wenn ich dich brauche?

aus Frankreich

Weißt du, wieviel Kinder frühe
stehn aus ihrem Bettlein auf,
daß sie ohne Sorg' und Mühe
fröhlich sind im Tageslauf?
Gott im Himmel hat an allen
seine Lust, sein Wohlgefallen,
kennt auch dich und hat dich lieb.

Wilhelm Hey 1837

Am Morgen

Wie fröhlich bin ich aufgewacht,
wie hab ich geschlafen
so sanft die Nacht!
Hab Dank im Himmel, du Vater mein,
daß du hast wollen bei mir sein!
Behüte mich auch diesen Tag,
daß mir kein Leid geschehen mag.

Wir preisen dich, o großer Gott,
für diesen neuen Morgen.
Du liebst die ganze weite Welt,
du willst für alle sorgen.

Der Hahn hat schon gekräht.
Ich bin wach.
Bist du auch schon wach, lieber Gott?
Hast du gut geschlafen?
Ich habe sehr gut geschlafen
und danke dir.
Bleib heute bei uns –
und beschütze uns.

aus Kenia

O Gott, du hast in dieser Nacht
so väterlich für mich gewacht.
Ich lob und preise dich dafür
und dank für alles Gute dir.

Bewahre mich an diesem Tag,
damit ich dir gefallen mag.
Und was ich denke, rede, tu,
das segne, bester Vater, du.

Volksgut

Die Sonne scheint, und der
Tag fängt gut an. Ich spüre es:
Heute ist alles in Ordnung.
Danke für die Freude,
danke für den guten Tag,
den du mir schenkst.

Warum läuft an manchen Tagen alles schief?
Meist fängt es schon mit dem Aufstehen an.
Ich komme nicht rechtzeitig aus dem Bett,
bin schlecht gelaunt und lasse es die
anderen merken. Ich gebe freche Antworten
und kann mich nicht beherrschen.
Hilf mir, lieber Gott, daß ich
lerne, was Geduld ist.

Danke für das Essen

Unser Vater, gib uns heute unser tägliches Brot.
Danke für unser tägliches Brot.
Gib auch allen armen Menschen ihr tägliches Brot.

Wir bitten, Herr, sei unserm Haus
ein steter Gast, tagein, tagaus,
und hilf, daß wir der Gaben wert,
die deine Güte uns beschert.

Aller Augen warten auf dich, und du gibst ihnen ihre Speise zur rechten Zeit. Du tust deine Hand auf und sättigst alles, was lebt, nach deinem Wohlgefallen.

Psalm 145,15–16

Alle guten Gaben,
alles, was wir haben,
kommt, o Gott, von dir.
Dank sei dir dafür.

Danke, du treuer Gott, daß ich genug zu essen habe. Und nicht nur, daß ich satt werde, sondern es schmeckt mir auch noch. Ich hab's wirklich gut.
Laß es doch auch den vielen Kindern besser gehen, die Hunger haben.

Dir sei, o Gott, für Speis und Trank,
für alles Gute Lob und Dank.
Du gibst, du willst auch künftig geben.
Dich preise unser ganzes Leben.

Wir danken dir, Herr, für unsere Speisen.
Wir danken dir für alle, die sie zubereitet haben.
Wir danken dir für die Gemeinschaft am Tisch.

Wenn ich schlafen gehe

In Frieden leg' ich mich nieder und schlafe ein;
denn du allein, Herr, läßt mich sorglos ruhen.

Psalm 4,9

Der Tag geht nun zu Ende.
Ich falte meine Hände
und danke dir, Herr Jesu Christ,
daß du bei mir gewesen bist.

Gesundheit, Spielzeugsachen,
die Tränen und das Lachen,
die Kleidung und das täglich Brot,
das alles kommt von dir, mein Gott.

Nimm Dank für deine Gaben,
die wir empfangen haben,
daß du vergibst, und siehst mich an,
als hätt' ich Böses nie getan.

Der Tag geht nun zu Ende.
Nimm mich in deine Hände!
Bleib du bei mir, was kommen mag,
heut nacht, und auch am neuen Tag!

Lieber Gott, ich denke darüber nach,
was heute alles gewesen ist.
Da waren Dinge, über die ich mich ärgere. Das ist nicht gut.
Hilf mir, daß ich mich nicht mehr ärgern muß.
Ich will dir vertrauen, daß du alles in Ordnung bringst.
Da waren Dinge, für die ich mich schäme.
Vergib mir, was ich verkehrt gemacht habe.
Da waren auch Dinge, über die ich mich freue.
Ich danke dir dafür.

Breit aus die Flügel beide,
o Jesu, meine Freude,
und nimm dein Küken ein!
Will Satan mich verschlingen,
so laß die Engel singen:
Dies Kind soll unverletzet sein!

Paul Gerhardt

Du bist mein lieber Vater im Himmel. Wenn es jetzt dunkel wird, siehst du trotzdem. Wenn ich jetzt schlafe, bleibst du wach. Egal, was passiert, du behältst mich in deiner Hand. Das ist gut, und es macht mich froh. Ich kann ganz beruhigt einschlafen.

Du bist mein Freund

Herr, wenn du auch
so einen guten Freund
wie ich hast, dann hast du Glück.
Mein Freund und ich, wir verstehen uns gut.
Wir gehen zusammen zur Schule und
spielen auch zusammen.
Laß uns immer Freunde bleiben, Herr.

aus Pakistan

Ein Lehrer aus dem Volk Israel
sagt, was Freundschaft ist:

Willst du einen Freund gewinnen,
gewinne ihn durch Erprobung,
schenk ihm nicht zu schnell dein Vertrauen!

Ein treuer Freund ist wie ein festes Zelt;
wer einen solchen findet, hat einen Schatz gefunden.

aus Jesus Sirach 6,7+14

Lieber Gott,
weißt du, wie es ist,
wenn man keine Freundin
hat?
Man möchte reden, und
keiner will zuhören.
Man möchte spielen, und
keiner spielt mit.
Man ist froh und
hat niemand, mit dem man
lachen könnte.

Man ist traurig, und
keiner interessiert sich,
warum.
Hilf mir, ich bitte dich,
daß ich eine Freundin finde.

Lieber Gott,
ich danke dir für Tanja,
meine Freundin.
Seit ich sie kenne, bin
ich nicht mehr allein.
Alles kann ich ihr sagen.
Sie versteht mich und
hält zu mir durch dick
und dünn.
Sie lacht mich nicht aus,
sie verpetzt mich nicht.
Und wenn sie in der Schule
besser ist, hilft sie mir.
Sie läßt sich helfen, wenn
ich ihr voraus bin.
Lieber Gott, ich danke dir
für Tanja, meine Freundin.

Wir sind eine Familie

Ich habe eine Mutter,
die hat mich lieb.
Mich, meinen Bruder und
meine Schwester.
Ich habe einen Vater,
der hat Mutti lieb,
dazu mich, meinen Bruder und
meine Schwester.
Ich habe meine Mutti lieb,
meinen Vater und meine Geschwister.
Wir können miteinander reden,
spielen und singen.
Wir können miteinander beten.
Gib du uns deinen Segen,
lieber Gott.
Behüte uns.

Manchmal möchte ich
meiner Mutter nah sein und
ihr sagen:
Du, ich hab dich lieb.
Manchmal möchte ich
auf dem Schoß meines Vaters sitzen
und ihm sagen:
Ich möchte werden, wie du bist.
Meistens haben sie viel zu tun.
Und dann traue ich mich nicht,
sie zu stören.
Lieber Gott, du weißt,
daß ich meine Eltern lieb habe.

Vater im Himmel, ich bitte dich,
behüt meine Eltern, behüte auch mich!
Mit deinem starken Arm bewahr
meine Geschwister vor aller Gefahr.
Alle, die mir verwandt und bekannt,
beschütze mit deiner mächtigen Hand. *Volksgut*

Ich weiß nicht, was ich tun soll. Papa und Mama reden nicht miteinander. Sie haben Streit.
Nun ist Papa weggegangen, und Mama arbeitet in der Küche.
Vielleicht könnte ich zu ihr gehen und sie trösten.
Aber ich habe Angst. Kannst du mir helfen, lieber Gott?

Kinder können sich ihre Eltern nicht aussuchen. Und auch die Eltern können sich ihre Kinder nicht aussuchen. Manchmal verstehe ich nicht, warum meine Eltern mir das eine verbieten und das andere nicht erlauben. Aber meistens höre ich doch auf das, was sie sagen. Und wenn ich nicht weiter weiß oder in der Klemme bin, rede ich mit ihnen. Bisher haben sie mir immer geholfen. Danke, lieber Gott, für die Eltern, die du mir geschenkt hast.

Ich habe Probleme

Ich kann nicht einschlafen, lieber Gott. Im Wohnzimmer streiten sie wieder. Das ist so schrecklich.
Sie wollen zwar nicht, daß ich es höre. Aber ich höre es immer.
Außerdem merke ich es, wenn Streit in der Luft liegt.
Bitte gib, daß sie sich liebhaben.
Schenke unsrer Familie Frieden.
Und gib mir, daß ich jetzt in Frieden einschlafen kann.

Lieber Gott, die meisten meiner Freunde haben einen Vater und eine Mutter. Ich nicht. Ich will ja nicht undankbar sein, lieber Gott, Mutti ist so lieb zu mir. Aber ich hätte so gerne auch einen Vater.
Ich weiß, daß du mein Vater im Himmel bist. Aber ich kann dich nicht sehen.
Aber wenigstens kann ich mit dir reden. Und du hörst mich.
Dafür danke ich dir. Und für Mutti danke ich dir auch.

Lieber Gott, alle wollen, daß ich anders werde. Klüger und fleißiger und geschickter und lieber. Ich möchte es ja auch, aber ich kann nicht.
Darum schimpft Mama immer und Papa verbietet mir Sachen, und die Lehrer geben schlechte Noten, und die andern Kinder mögen mich nicht. Ich weiß nicht mehr, was ich machen soll, lieber Gott. Ich bin so traurig. Weißt du keinen Rat?
Du hast mich doch geschaffen, nicht? Und ich kann mir eigentlich nicht denken, daß dir dabei ein Fehler passiert ist. Bitte hilf, daß sie mit mir zufrieden sind. Und auch, daß ich mich ändern kann. Und wenn das nicht geht, lieber Gott, hilf mir, daß ich trotzdem fröhlich sein kann.

Herr, keiner hat Zeit für mich. Vater, Mutter, Geschwister – alle haben's eilig. Niemand will mit mir reden.
Aber du willst mit mir reden, Herr. Du hast Zeit für mich.
Ich danke dir dafür.
Bitte schenke doch unsrer Familie mehr Zeit, mehr Ruhe.
Und mehr Liebe.

Am Geburtstag

Lieber Gott, heute bete ich ganz besonders von Herzen, weil ich Geburtstag habe.
Ich bin jetzt sechs. Gestern war ich erst fünf.
Wenn das so weitergeht, bin ich bald groß.
Laß dieses Jahr genauso schön werden wie das letzte.
Oder sogar noch schöner.
Ich danke dir auch für das vergangene Jahr.

Bis hierher hat mich Gott gebracht
durch seine große Güte,
bis hierher hat er Tag und Nacht
bewahrt Herz und Gemüte.
Bis hierher hat er mich geleit,
bis hierher hat er mich erfreut,
bis hierher mir geholfen.

Hab Lob und Ehre, Preis und Dank
für die bisher'ge Treue,
die du, o Gott, mir lebenslang
bewiesen täglich neue!
In mein Gedächtnis schreib ich an:
Der Herr hat Großes mir getan,
bis hierher mir geholfen.

Ämilie Juliane Gräfin zu Schwarzburg-Rudolstadt 1637–1706

Es war ein schöner Tag, lieber Gott. Geschenke habe ich bekommen, meine Freunde und Freundinnen waren da, und ich stand sogar ein bißchen im Mittelpunkt, weil es doch mein besonderer Tag war. Und die Verwandten waren alle so freundlich zu mir und haben mir gezeigt, daß sie mich lieb haben. Ich hab' mich riesig gefreut. Eigentlich hast du das ja alles so gemacht. Du bist es, der mich am meisten lieb hat. Darum will ich dir auch für das alles danke sagen. Danke, lieber Gott!

Lieber Vater im Himmel, heute habe ich Geburtstag. Da erinnere ich mich daran, daß du mich geschaffen hast, so wie ich bin. Hab Dank dafür.

Meine Geschwister

Du großer Gott, den ganzen Tag hab' ich mit meinen Geschwistern geredet. Jetzt will ich mit dir reden.
Ich finde es schön, daß ich Geschwister habe. Manchmal finde ich's ja nicht so schön, aber meistens. Ich danke dir dafür.
Es ist gut, daß du sie genauso lieb hast wie mich. Auch dafür danke ich dir.

Manchmal ist es gut, daß ich einen großen Bruder habe. Papa ist oft nicht da, Mama auch nicht, zum Beispiel auf dem Spielplatz oder auf der Straße. Da finde ich es toll, wenn er sich ein bißchen um mich kümmert.
Manchmal behandelt er mich aber auch wie Luft. Das macht mich dann immer traurig.
Lieber Gott, mach doch, daß er mich immer lieb hat. Aber ich ihn natürlich auch. Danke, daß du uns beide lieb hast. Du behandelst uns nie wie Luft.

Du weißt es ja, Herr: Die Kleinen können einem ganz schön auf den Wecker gehen. Sie verstehen nichts und stören einen immer.
Ich weiß, ich sollte nicht so über meine Geschwister denken. Ich sollte mich um sie kümmern.
Du kümmerst dich ja auch um mich. Du bist so geduldig mit uns, und niemals läßt du uns links liegen.
So wie du werde ich das wohl nie schaffen. Aber wenn du mir hilfst, kann ich wenigstens ein bißchen von dir lernen.
Eigentlich habe ich die Kleinen ja auch gerne. Vielleicht nicht ganz so wie du, aber doch ziemlich. Bitte schenke ihnen viel Freude.

Heute haben wir uns gestritten. Du weißt es, lieber Gott, denn du siehst und hörst alles. Bitte vergib uns den Streit. Meinem Bruder und meiner Schwester, und mir auch!
Weil du alles siehst und hörst, weißt du ja auch, daß wir uns eigentlich gern haben. Ich will dir danken, daß ich Geschwister habe.

Schulzeit und Freizeit

Gott, unser Vater,
du hast jedem Kind eigene Gaben gegeben: der eine kann gut singen, die andere gut rechnen. Die eine kann gut klettern, der andere malt schöne Bilder . . . Hilf uns, daß wir alle lernen, was wir brauchen, damit wir miteinander leben können als deine Kinder.

Ich gehe nicht immer gern zur Schule.
Manchmal macht mir das Lernen keinen Spaß.
Manchmal mag ich einfach nicht.
Dann kann ich nicht zuhören,
und die Stunden dauern ewig lang.
Kannst du mir hin und wieder
helfen, lieber Gott,
daß ich nicht gleich abschalte?
Kannst du mir einen Schubs geben,
wenn mir mitten im Unterricht
das Schwimmbad einfällt oder
der Fußballplatz?

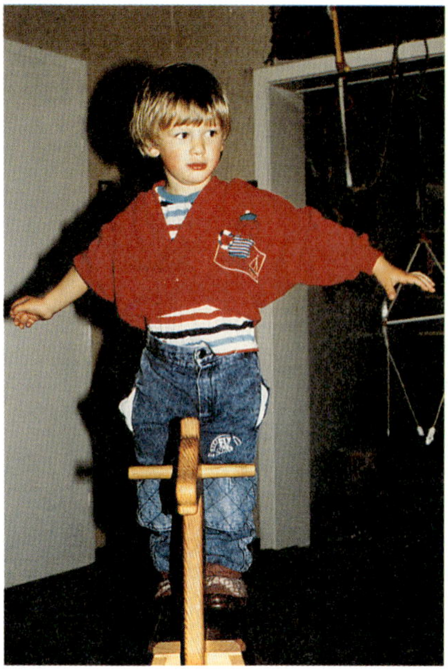

Was leicht ist und was schwer,
von Gott kommt alles her.
In Gott fängt alles an,
für Gott sei es getan.

Gib du, mein Gott, auch heute,
daß mich dein Auge leite,
dein Wort mein Herze rühre,
und deine Hand mich führe.

Mein Lernen laß gelingen
und Gutes mich vollbringen,
auf daß ich deinen Namen
durch mein Werk lobe – Amen.

Herr, wir bitten dich, gib uns deine Liebe:
Daß die Lauten die Schüchternen nicht überschreien,
daß die Starken die Schwachen nicht verspotten,
daß die Trotzigen ihr Herz nicht verhärten,
daß die Schwachen nicht mutlos werden
und die Fremden sich wohl fühlen
und Freunde finden.
Hilf uns, daß wir lernen, einander lieb
zu haben, wie du uns liebst.

In den Ferien

Vor aller Gefahr,
Herr, mich bewahr!
Zu Wasser und zu Land
mich hüte deine Hand.
Daß heil und froh ich wiederkehr,
o Herr, ich bitt' dich sehr.

Wir sind durch den Wald gewandert – danke!
Wir haben im Sand gespielt – danke!
Wir sind auf der Wiese herumgetollt – danke!
Wir haben im Wasser geplantscht – danke!
Es war ein wunderschöner Tag. Danke!

Lieber Gott, gestern flimmerte die Hitze über der Straße. Da war ich erschöpft und schwitzte und wollte es kühl haben. Heute prasselte der Regen auf die Straße. Da war ich verärgert und wollte, daß die Sonne scheint.
Hilf mir, daß ich nicht so unzufrieden bin. Ich danke dir für Sonne und Regen. Ich danke dir für das Schwimmbad bei der Hitze und das Dach überm Kopf beim Gewitter.

Was für ein schöner Regenbogen!
Danke, lieber Gott, daß du nach dem Regen wieder die Sonne scheinen läßt. Und daß du versprochen hast, uns immer liebzubehalten.

Ich habe Ferien. Da freue ich mich natürlich, Herr Jesus. Schenke mir eine sehr, sehr schöne Zeit. Und laß mich viel erleben. Paß bitte auf mich auf, daß mir beim Spielen nichts Schlimmes passiert. Und hilf mir, daß ich selbst auch aufpasse. Ich danke dir für die Ferien.

Lieber Gott, wieviel ärmer wären wir, wenn alles grau wäre! Grün hast du die Gurken gemacht, und die Grashalme und den Wald.
Blau hast du die Pflaumen gemacht, und die Kornblumen und den Himmel.
Weiß hast du die Eier gemacht, und die Margeriten und die Wolken.
Gelb hast du die Zitronen gemacht, und die Schlüsselblumen und die Haare meiner Freundin.
Rot hast du die Tomaten gemacht, und die Geranien und die untergehende Sonne.
Lieber Gott, ich freue mich über die bunte Welt.

Streiten und wieder gut sein

Gott, du kennst mich
und meine Probleme:
Manchmal verliere ich die Geduld.
Ich werde zornig und ungerecht.
Manchmal will ich mich einfach durchsetzen
– auch mit Gewalt.
Manchmal kann ich einfach nicht gehorchen,
wenn Mami oder Papi mir etwas auftragen.
Hab Geduld mit mir, ich bitte dich,
und gib mir Zeit und Geduld mit mir selber,
damit ich geduldiger werde mit den anderen.

Martin und Claudia sind
meine besten Freunde.
Wir spielen jeden Tag miteinander.
Meist macht es Spaß,
doch manchmal bekommen wir Streit.
Wütend gehen wir auseinander;
die eine läuft hierhin, der andere dorthin.
Doch wir können einander
nicht lange böse sein;
denn allein zu spielen,
macht keinen Spaß.
Ich bitte dich, lieber Gott
schütze meine Freunde und mich.

Sich versöhnen, das heißt:
Den anderen merken lassen,
daß ich ihm nicht mehr böse bin;
ihm die Hand geben und sagen:
Ich war ja blöd, laß uns wieder
gut sein, vergiß den Streit.

Neulich bekam meine Schwester Streit mit ihrer Freundin. Ich war dabei und hörte, wie die beiden sich beschimpften. Ich sah, wie sie aufeinander losgingen. Da hab ich sie angeschrien: Hört auf, ihr beiden! Worum geht es eigentlich, bei eurem Streit?
Die beiden sahen sich an, sie schämten sich, denn sie konnten nicht einmal sagen, wie es zu ihrem Streit gekommen war.

Ich freue mich so

Jesus, danke, daß ich gerade so fröhlich bin. Mach, daß ich mich daran noch erinnere, wenn ich mal traurig bin.

Herr Jesus, neulich hat der Pfarrer gesagt, wir sollen zu deiner Ehre musizieren. Das will ich auch. Bestimmt. Aber ich muß zugeben, daß ich auch gerne gelobt werde, wenn's geklappt hat. Das ist doch nicht schlimm, oder? Ich danke dir, daß ich singen und spielen kann.
Er hat auch gesagt, zu deiner Freude sollen wir singen. Das will ich auch. Aber mir macht's auch Spaß. Ich danke dir für die Musik und für alle Freude.
Er hat auch gesagt – oder war's jemand anders? –, im Himmel würden wir Harfe spielen. Also, Herr, wenn ich wählen kann, würde ich lieber Trompete blasen. Ich danke dir, daß es da noch viel schöner klingen wird als hier.

Ich bin unheimlich froh, Herr Jesus.
Ich freue mich über mein Zimmer und meine Spielsachen.
Ich freue mich über meine Familie und meine Schulklasse.
Ich freue mich, daß ich gesund bin und schon ziemlich groß.
Ich freue mich, daß ich überhaupt da bin, und daß du da bist.
Ich danke dir für alles.

Ich habe Angst

Ich habe Angst, lieber Vater im Himmel.
Alle sagen, ich brauche keine Angst zu haben. Ich hab' sie aber trotzdem.
Aber ich weiß auch, daß du mich behüten willst.
Ich habe Angst, aber ich bin trotzdem geborgen. Hilf mir, daß die Angst kleiner und die Geborgenheit größer wird.
Es stimmt ja, du bist mein lieber Vater.

Herzlich lieb habe ich dich,
Herr, meine Stärke!
Herr, mein Fels,
meine Burg, mein Erretter;
mein Gott, mein Hort,
auf den ich traue,
mein Schild und Berg meines Heiles
und mein Schutz.

Psalm 18,2–3

Herr Jesus Christus, ich habe Angst, daß mein Papa böse auf mich ist, weil ich etwas verkehrt gemacht habe. Ich möchte so gerne, daß er wieder gut mit mir ist. Mach doch bitte, daß er mir vergibt. Denn du hast mir ja auch schon vergeben.

Gott, du bist so stark.
Ich hab' manchmal Angst, wenn's dunkel ist. Aber du siehst auch im Dunkeln und bist immer bei mir.
Ich habe oft Angst vor großen Hunden. Und auch vor den großen, frechen Jungen. Und manchmal sogar vor meinem Lehrer. Aber du bist stärker als Hunde und große Jungen und sogar als der Lehrer. Ich danke dir, daß du auf meiner Seite bist.

Ich kann dir vertrauen

Du gehst neben mir,
wenn ich auf dem Heimweg bin,
am Abend, auf dunklen Straßen.

Du hörst mich,
wenn ich allein bin in
unserer Wohnung und jemand
brauche, mit dem ich reden kann.

Du bist mir nah,
wenn ich aufwache in der Nacht
und die Schatten
mir Angst machen.

Ich habe oft Angst, lieber Gott.
Die anderen lachen mich aus, weil
ich nicht gut klettern kann und mich nicht
traue, von der Mauer zu springen.
Ich fürchte den Hund unsrer Nachbarn
und gehe in der Dunkelheit nicht gern
unter Bäumen.
Kannst du mir helfen, damit ich kein
Angsthase bleibe?

Der Herr ist mein getreuer Hirt,
nichts fehlt mir, er ist gut.
Weil er mich leitet und mich führt,
bleib ich in guter Hut.

Muß ich auch dunkle Wege gehn,
so fürchte ich mich nicht.
Gott will an meiner Seite stehn.
Er gibt mir Zuversicht.

Sigisbert Kraft

Wo ich gehe, wo ich stehe,
ist der liebe Gott bei mir.
Wenn ich ihn auch niemals sehe,
weiß ich dennoch: Gott ist hier.

Wenn ich lache, wenn ich weine,
ist der liebe Gott bei mir.
Hab ich Angst und bin allein,
weiß ich dennoch: Gott ist hier.

Erste Strophe mündlich überliefert,
zweite Strophe Bodo Hoppe

Wenn ich krank bin

Lieber Vater im Himmel, ich bin ziemlich krank.
Bitte mach mich wieder gesund!
Mir ist so schlecht, und der Bauch tut so weh, daß ich manchmal sogar weinen muß. Aber ich weiß trotzdem, daß du mich lieb hast. Mir ist heiß, und ich habe Kopfweh, so daß ich gar nicht richtig denken und auch nicht richtig beten kann. Aber ich weiß, daß du mich hörst und verstehst.
Du wirst alles gut machen. Ich bin in deiner Hand.
Ich danke dir dafür.

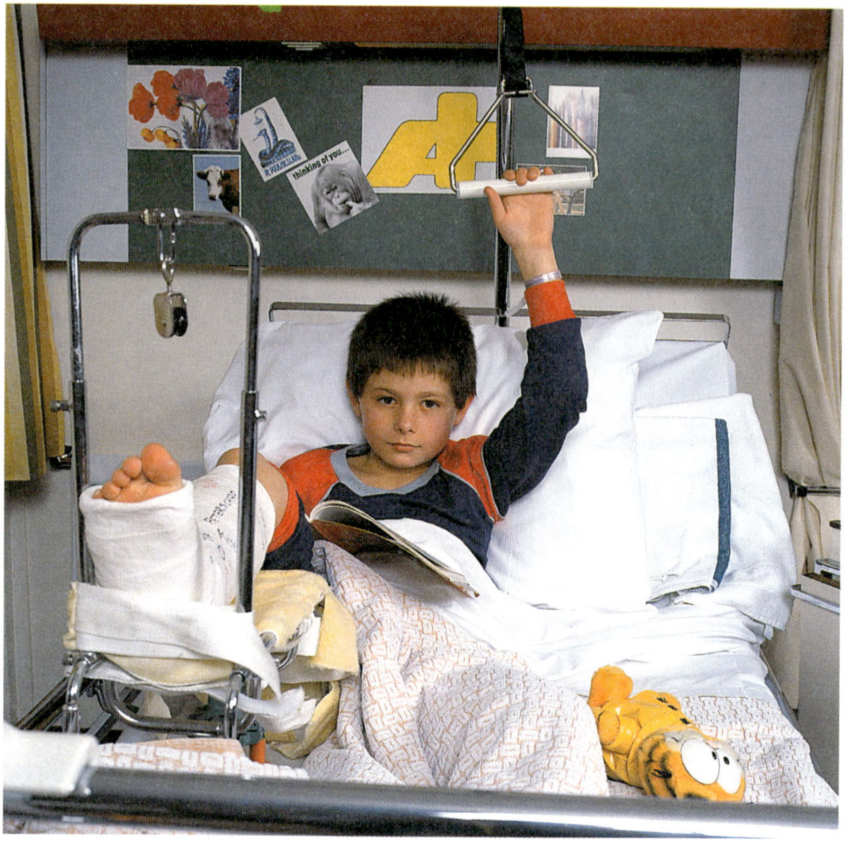

Lieber Gott, du siehst, wie krank ich bin. Aber ich will mich nicht bei dir beschweren, denn du wirst es schon richtig machen. Im Gegenteil, ich will dir danken für mein Bett, und für den Arzt und die Medizin, und für meine Mutter, die sich so um mich kümmert. Sie hat mich lieb, und das tröstet mich. Und du hast mich auch lieb, und das tröstet mich auch.

Herr Jesus Christus, damals hast du die Kranken gesund gemacht. Zum Beispiel den Blinden, der so laut nach dir gerufen hat, und den Lahmen, der schon so lange an dem Teich liegen mußte. Ich bin sicher, Herr Jesus, daß du das heute noch kannst. Bitte mach mich doch auch wieder gesund!

Gehe ich mitten durch die große Not:
du erhälst mich am Leben.

Psalm 138,7

Vergib mir, bleib mir gut

Lieber Gott,
du weißt, wie oft ich böse bin
und gemein.
Du weißt, wie oft ich trotzig bin.
Wie oft ich mich drücke und
die Schuld auf andere schiebe.
Wie oft ich den Kleinen das Spiel
verderbe . . .
Du weißt auch,
daß es mir jedesmal
leid tut, wenn ich böse war.
Du weißt, wie froh ich bin, wenn
Mutti wieder gut mit mir ist.
Du weißt, daß ich versuche,
den Schaden wieder gut zu machen.
Bleib mir gut, lieber Gott,
und vergib mir die Schuld,
die ich nicht gutmachen kann.

Jesus hat zu seinen Freunden gesagt:
Daran, daß ihr einander liebt,
sollen alle erkennen,
daß ihr meine Freunde seid.

Aber ich habe die anderen
nicht immer geliebt.
Ich habe mit ihnen gestritten.
Ich habe nicht auf Mama gehört.
Ich habe gelogen.
Ich war neidisch auf meinen Bruder.
Ich habe meiner Schwester
nicht geholfen.
Ich habe dich vergessen, Jesus.
Vergib mir,
ich will versuchen, es besser zu machen.

Ich bin kein Engel, Herr.
Es ist so schwierig, immer das zu tun,
was du von mir verlangst.
Ich halte einfach nicht durch.

Ich bin doch kein Engel, Herr.
Dabei gebe ich mir solche Mühe.
Dann kommt wieder etwas dazwischen.

Ich bin kein Engel, Herr.
Das weiß ich. Und du weißt es auch.
Ich werde es nie schaffen.

Nimm mich bitte so an, wie ich bin.
Und außerdem wäre mir, glaube ich,
als Engel ziemlich langweilig.
Magst du denn auch Fußballspieler?

aus Nordamerika

Ich rede, wenn ich schweigen sollte,
und wenn ich etwas sagen sollte,
dann bin ich plötzlich stumm.

Herr, hilf das Rechte sagen.
Hilf uns das Gute wagen.
Hilf uns das Gute wagen.
Herr, hilf das Rechte tun.

Ich schweige, wenn ich reden sollte,
und wenn ich einmal hören sollte,
dann kann ich's plötzlich nicht,
dann kann ich's plötzlich nicht.

Herr, hilf das Rechte sagen.
Hilf uns das Gute wagen.
Hilf uns das Gute wagen.
Herr, hilf das Rechte tun.

Kurt Rommel

Danke für die schöne Welt

Du hast alles gemacht

Ich lobe dich, du großer Gott. Du hast alles gemacht,
was ich sehen kann, und noch viel mehr:
Den großen Elefanten und das kleine Käferchen,
die langsame Schnecke und die flinke Libelle,
die giftige Tollkirsche und die süße, schwarze Kirsche,
die stinkende Morchel und die duftende Rose,
die hohe Eiche und das zierliche Moos,
die hundertjährige Schildkröte und die Eintagsfliege.
Ich lobe dich, du großer Gott!

Schönster Herr Jesu,
Herrscher aller Herren,
Gottes und Marien Sohn,
dich will ich lieben,
dich will ich ehren,
meiner Seele Freud und Kron.

Schön ist der Monde,
schöner ist die Sonne,
schön sind auch die Sterne all.
Jesus ist feiner,
Jesus ist reiner
als die Engel allzumal.

Schön sind die Blumen,
schöner sind die Menschen
in der frischen Jugendzeit,
sie müssen sterben
müssen verderben,
Jesus bleibt in Ewigkeit.

Alle die Schönheit
Himmels und der Erden,
ist gefaßt in dir allein.
Keiner soll immer
lieber mir werden
als du, liebster Jesu mein.
Münster 1677

Herr, wie zahlreich sind deine Werke! Mit Weisheit hast du sie alle gemacht, und die Erde ist voll von deinen Geschöpfen.
Psalm 104,24

Danke, Gott, für die schöne Welt!
Danke, daß ich sehen kann – und für die bunten Blumen und die herrlichen Berge.
Danke, daß ich hören kann – und für die singenden Vögel und das plätschernde Wasser.
Danke, daß ich schmecken kann – und für den süßen Honig und den sauren Apfel.
Danke, daß ich riechen kann – und für die duftende Nelke und den salzigen Wind vom Meer.
Danke, daß ich fühlen kann – und für den weichen Sand unter meinen Füßen und das kühlende Bad.
Danke, Gott, für die schöne Welt!

Unsere Freunde, die Tiere

Weißt du, wieviel Mücklein spielen
in der heißen Sonnenglut,
wieviel Fischlein auch sich kühlen
in der hellen Wasserflut?
Gott der Herr rief sie mit Namen,
daß sie all' ins Leben kamen,
daß sie nun so fröhlich sind.

Wilhelm Hey 1837

Unsere Katze heißt Mutzi. Sie ist weiß und hat ein dunkles Schnäutzchen und schwarze Ohren. Am Abend geht sie meistens fort, aber zum Frühstück kommt sie zurück. Bis gestern war es so. Gestern ist unsere Mutzi nicht zurückgekommen. Heute haben wir sie überall gesucht und alle Leute gefragt. Wir haben sie nicht gefunden. Weißt du, was ihr geschehen ist? Kannst du ihr den Rückweg zeigen? Bitte, lieber Gott.

Gott, es gibt viele Hunde in unserer Stadt. Für mich ist Axel der schönste. Ich mag ihn so gern. Wenn ich nach Hause komme, hüpft er vor Freude. Er spürt, wenn ich traurig bin, er kennt mich gut. Ich bin so froh, lieber Gott, daß Axel mein Freund ist.

Wir waren im Zoo und haben die vielen Tiere besucht: Elefanten und Löwen, Affen und Eisbären, Giraffen und Zebras und viele, viele andere Tiere, große und kleine, wilde und zahme. Sie alle leben mit uns auf der Erde. Du hast ihnen das Leben geschenkt, du kennst sie. Und du willst, daß wir Menschen gut zu den Tieren sind und ihnen geben, was sie brauchen. Ich mag die Tiere, lieber Gott – und ich will helfen, daß sie leben können.

Wachsen wie das Gras und die Bäume

Gott der Herr gibt seinen Segen,
unsre Erde ihre Frucht.
Same, der im Land gelegen,
Gott zu neuem Wachstum ruft.

Gott gibt Sonne, Gott gibt Regen,
daß sein Volk ihn freudig sucht;
Gott der Vater schenkt den Segen,
unsre Erde ihre Frucht.

Elisabeth Gräfin Vitzthum

Im Winter sehen die Bäume aus,
als wären sie tot. Aber das ist nicht wahr.
In den dürren Zweigen steckt Leben.
Wenn dann die Sonne wärmer wird,
kriecht das Leben aus dem Zweig heraus.
Zuerst kommen die molligen Kätzchen.
Dann treiben hellgrüne Blätter.
Manchmal schneiden wir im Garten einen Zweig ab
und lassen ihn in der Wärme treiben.
Wir können dann alles viel besser sehen.

Mama sagt, daß auch die Menschen so wachsen.
Erst lebten wir ganz klein und verborgen bei Mama.
Dann wurden wir geboren.
Und jetzt können wir größer werden.

Hilf mir, lieber Gott, daß ich größer werde.
Aber hilf mir auch, daß ich gut werde.
Lehrst du mich das jetzt schon ein wenig?
Ich danke dir schön, lieber Gott.

Jeanne Hoeberechts / Eleonore Beck

Ich möchte so gerne groß sein, lieber Gott.
Geschickte Hände möchte ich haben
und kräftige Arme.
Ich möchte meiner Mutter helfen,
so daß sie es merkt;
und meinem Vater, daß er mich
nicht mehr wegschickt,
weil ich zu klein bin.

Ich mag es,
wenn die Sonne scheint
und die Tage länger werden.
Ich mag es,
wenn Mutti die dicken Pullis
und die Gummistiefel vergißt,
wenn ich nach draußen gehe.
Ich mag es,
wenn die Kleider bunter
und die Menschen fröhlicher werden.
Ich mag es,
wenn die Bäume Blätter bekommen
und die Vögel ihre Nester bauen.
Manchmal möchte ich singen
vor Freude
und danke sagen dafür,
daß alles so schön ist.

Ostern

Wir wollen alle fröhlich sein
in dieser österlichen Zeit,
denn unser Heil hat Gott bereit'.

Es ist erstanden Jesus Christ,
der an dem Kreuz gestorben ist;
ihm sei Lob, Ehr zu aller Frist.

Es singt der ganze Erdenkreis
dem Gottessohne Lob und Preis,
der uns erkauft das Paradeis.

Des freu sich alle Christenheit
und lobe die Dreifaltigkeit
von nun an bis in Ewigkeit.

Halleluja, halleluja.
Gelobet sei Christus, Marien Sohn.

Medingen bei Lüneburg (1. Strophe)
und Eisleben (Strophe 2–5)

Wir preisen dich, Herr Jesus Christ,
daß du vom Tod erstanden bist.
Du hast zerstört des Todes Macht
und uns das Leben neu gebracht.

Volksgut

Es gibt Kinder, die fürchten sich,
wenn sie allein sind;
andere fürchten sich, wenn sie aufwachen
in der Nacht und das Zimmer dunkel ist.
Andere fürchten die Krankheit – und alle,
die Jungen wie die Alten, fürchten sich
vor dem Tod.

Jesus sagt seinen Freunden: Wenn ihr
euch an mich haltet, braucht ihr nichts
und niemand zu fürchten – nicht einmal
den Tod.
An Ostern zeigt er uns, daß
wir uns auf sein Wort verlassen können.

Christus ist erstanden, halleluja.
Er hat den Tod bezwungen, halleluja.

Heute haben wir im Garten
eine Amsel gefunden.
Sie lag am Boden
und konnte sich nicht mehr bewegen.
Sie war starr und tot.
Wir haben sie
in eine kleine Schachtel gelegt
und beim Nußbaum begraben.
Wenn ich sterbe, werde ich dann
kalt und starr sein wie die Amsel?
Mutti sagt,
ich brauche mich nicht zu fürchten –
denn du wartest auf mich.
Danke, Jesus, danke.

Du füllst die Erde

Ich muß zugeben, Herr Jesus, daß ich das mit der Himmelfahrt nicht richtig verstehe. Die Astronauten haben nichts von dir gesehen. Also muß der Himmel woanders sein.
Aber ganz egal, wo du jetzt bist, du kannst alles sehen und kannst allen helfen. Es kann auch nicht weit weg sein, denn du hörst mich, wenn ich bete.
Ich freue mich so, daß ich dich kenne, auch wenn dich niemand sehen kann.

Lieber Herr Jesus, bitte beantworte mir eine Frage: Wie ist das mit dem Heiligen Geist? Heute an Pfingsten reden alle davon. Müßte ich auch so Flammen auf dem Kopf haben wie Petrus? Und tut das nicht weh? Und müßte ich nicht auch so begeistert sein von dir? Na ja, begeistert bin ich eigentlich auch. Wenn ich dran denke, wie lieb du mich hast, und daß du mir alles Böse vergibst, und daß ich bei dir immer geborgen bin! Doch, Herr Jesus, ich bin wirklich von dir begeistert!
Vielleicht ist dann das mit den Flammen auch nicht so wichtig, oder? Jedenfalls möchte ich dich so lieb haben wie Petrus, und auch so fröhlich von dir reden. Daß ich das möchte, hat sicher schon der Heilige Geist in mir gemacht. Herzlichen Dank dafür, Herr Jesus! Ja wirklich, ich bin von dir ganz begeistert!

Was wir haben, kommt von dir

Ich esse so gerne mein Schulbrot mit dick Käse drauf.
Das Brot kommt vom Bäcker.
Der kriegt das Mehl aus der Mühle.
Der Müller kriegt das Getreide vom Bauern.
Der Bauer aber kriegt es von dir, Gott.

Der Käse ist aus dem Laden.
Eigentlich aber aus der Käsefabrik.
Dort machen sie ihn aus Milch.
Die Milch aber macht die Kuh.
Die Kuh macht die Milch aus dem Gras, das sie frißt.
Und das Gras machst du, Gott.

Was nah ist und was ferne,
von Gott kommt alles her,
der Strohhalm und die Sterne,
das Sandkorn und das Meer.
Von ihm sind Büsch und Blätter
und Korn und Obst, von ihm
das schöne Frühlingswetter
und Schnee und Ungestüm.

Er läßt die Sonn' aufgehen,
er stellt des Mondes Lauf;
er läßt die Winde wehen
und tut die Wolken auf.
Er schenkt uns so viel Freude,
er macht uns frisch und rot;
er gibt den Kühen Weide
und unseren Kindern Brot.

Matthias Claudius 1740–1815

Lieber Gott, ich danke dir
für die grünen Äpfel und die roten Tomaten,
für die runden Brötchen und die flachen Pfannkuchen,
für den geraden Spargel und die krummen Bananen,
für den heißen Kakao und das kalte Vanilleeis,
für den weichen Pudding und das knusprige Knäckebrot,
für das eiförmige Ei und die orangene Orange.
Für alles danke ich, was ich zum Leben brauche und was ich
habe – von dir.

Gib Sonnenschein und Regen

Die Sonne hoch am Himmelszelt:
Alles hat Gott gemacht.
Die Sterne und die weite Welt:
Alles hat Gott gemacht.
Niemand ist größer als unser Herr und Gott.

Die Blumen, Vögel, jedes Tier:
Alles hat Gott gemacht.
Er schenkte sie zur Freude mir:
Alles hat Gott gemacht.
Niemand ist größer als unser Herr und Gott.

Die Wälder, Flüsse und das Meer:
Alles hat Gott gemacht.
Und darum loben wir ihn sehr:
Alles hat Gott gemacht.
Niemand ist größer als unser Herr und Gott.

Hermann Bergmann

Es regnet und regnet,
der Himmel ist grau.
Die Vögel verstecken sich im Gebüsch,
die Leute gehen schnell nach Hause.
Der Regen wäscht die Blätter an
den Bäumen blank.

Er macht die Erde weich und durchlässig,
damit die Blumen und Kräuter wachsen können.
Danke für den Regen, lieber Gott.
Läßt du morgen die Sonne wieder scheinen?

Jesus sagt zu seinen Freunden:
Habt einander lieb. Nicht nur eure Freunde,
sondern auch die anderen,
die hinter euch her sind.

So macht es auch euer Vater im Himmel:
Er läßt seine Sonne aufgehen über
Böse und Gute.
Er läßt regnen auf Gerechte und
Ungerechte. *nach Matthäus 5,45*

Wenn die Sonne scheint,
werden die Menschen froh.
Alles geht leichter,
sie lachen einander zu.

Wenn die Sonne scheint,
freuen sich die Mädchen
und die Jungen.
Die einen gehen Fußballspielen,
die anderen zum Schwimmen, und
wieder andere toben auf dem Spielplatz.
Danke, lieber Gott,
für die Sonne.

Vom Reisen

Herr, du bist groß und voller Güte.
Drum vor Gefahren uns behüte.
So wie du uns bisher bewahrt,
bewahr uns auch auf dieser Fahrt!

Stundenlang fahren wir jetzt schon. Mir ist langweilig, lieber Gott. Vorhin habe ich mit Mutti gespielt: »Ich sehe was, was du nicht siehst.« Aber sie will nicht mehr.
Darum will ich die Zeit nutzen, um mit dir zu sprechen, lieber Gott. Mit dir kann ich ja »Ich sehe was, was du nicht siehst« nicht spielen. Denn du siehst alles.

Eigentlich ist das ganz toll! Du siehst das Haus, das da vorbeifliegt. Du siehst die Obstbäume und die Bahnschranke. Die Fabrik und das Weizenfeld. Und Mutti. Und meine Langeweile. Ich sehe nichts, was du nicht siehst. Und du siehst alles, was ich sehe, und noch vieles, was ich nicht sehe.
Du siehst alles. Ich finde das prima. Ich freue mich.

Führe mich, o Herr, und leite
meinen Gang nach deinem Wort,
sei und bleibe du auch heute
mein Beschützer und mein Hort;
nirgends als bei dir allein
kann ich recht bewahret sein!

Heinrich Albert 1604–1651

Danke für den Urlaub, lieber Gott.
Ich fahre so gern woanders hin, um viel zu erleben. Ich mag andere Menschen und unbekannte Wälder und schöne Täler und hohe Berge und sonnige Strände und freundliche Dörfer und spannende Abenteuer. Ich danke dir für das alles!

Du weißt, Herr, daß wir eine weite Reise vorhaben. Fahre mit uns, bitte, damit uns nichts passiert. Eigentlich bist du ja immer mit uns. Du bleibst da, wo wir wegfahren, und du bist auch schon da, wo wir hinkommen.

Du sorgst für uns

Für den Apfel auf dem Baum,
für die Ähre auf dem Halm,
für das Brot auf dem Tisch,
für Sonne und Regen,
für Wind und Wolken,
für die bunten Raschelblätter
danken wir dir:
Du sorgst für uns.

Ich habe satt zu essen
und Schuh und Kleider auch,
und Menschen, die mich lieben,
und was ich sonst noch brauch.

Ich dank dir, Gott, für alles,
du machst mich reich und froh.
Doch laß mich nicht vergessen,
daß Kinder anderswo

vielleicht am Abend weinen
und hungrig sind und arm.
Gott, du kannst vieles machen:
gib, daß sie wieder lachen,
und mach sie satt und warm.

Renate Schupp

Im Fernsehen habe ich Mütter gesehen,
die hielten ihre Kinder in den Armen:
Kinder, die so schwach waren, daß sie
nicht einmal die Mücken wegscheuchen konnten.
Hast du die Bilder auch gesehen, lieber Gott?
Siehst du die Mütter und ihre Kinder?
Siehst du uns, die wir satt sind und
das, was wir übrig haben, nicht teilen
wollen? Ich will mit Papa reden und
mit dem Lehrer. Wenn viele etwas abgeben,
muß ein Kind weniger hungern.

Vater, dein Tisch ist groß.
Er ist groß wie die ganze Welt.
Alle brauchen Brot,
die Kleinen und die Großen, Tag um Tag.
Du läßt das Korn für uns reifen,
damit wir Brot haben. Du, Vater,
deckst uns den Tisch.

Ich weiß nicht, wie man sich fühlt, wenn es nichts zu essen gibt. Ich habe noch nie so richtig Hunger gehabt. Mama gibt mir zu essen. Sie weiß, was mir schmeckt: Äpfel und Brot, Schokoriegel und Wurst . . .
Manchmal mag ich ein Brot nicht essen. Manchmal werfe ich die Hälfte in den Müll. Doch ich spüre genau, daß das nicht recht ist. Ich will es nicht wieder tun.

Wenn's schneit

Danke, lieber Gott, für das Schlittenfahren, für die Freude am schnellen Gleiten, für den Spaß mit den Freunden. Danke, lieber Gott, daß auch das Skifahren ganz gut klappt, daß Vati und Mutti dabei sind, und daß uns nichts Schlimmes passiert ist. Danke, lieber Gott, für die Schneeballschlacht, für das fröhliche Lachen, und daß keiner beleidigt war, der getroffen wurde.
Danke, lieber Gott, für den Winter.

Draußen herrscht klirrende Kälte. Ich habe gefroren, und die Hände waren eisig kalt. Dann bin ich in die Wohnung gekommen. Es war mollig warm und gemütlich.
Lieber Gott, das erinnert mich daran, wie es ist, wenn ich zu dir komme. Ohne dich fühle ich mich unzufrieden, kalt und fremd. Aber bei dir bin ich geborgen. Wenn ich mit dir reden kann, freue ich mich. Ich danke dir dafür.

Herr Gott, du hast den Winter so schön gemacht.
Den Büschen und Zweigen hast du Häubchen aus Schnee aufgesetzt.
Den Teich hast du mit einer harten Kruste von Eis zugedeckt.
Die Erde hast du mit unzähligen Schneekristallen bestreut, die das Sonnenlicht blitzen lassen.
Ich möchte dir danken und dich loben.

Der Winter gefällt mir nicht mehr, Herr Jesus. Es ist kalt und naß und dunkel und traurig.
Aber ich danke dir, daß ich nicht traurig sein muß. Ich kann trotzdem fröhlich sein. Nicht nur, weil es bald wieder Frühling wird, sondern weil du immer bei mir bist.

Im Advent

Herr Jesus, ich freue mich so auf Weihnachten. Aber ich freue mich auch auf dich. Ich möchte so gerne, daß du ganz nahe bei mir bist.

Sie sagen, du würdest wiederkommen, Herr Christus. Nicht wie damals als Kind im Stall, sondern als mächtiger Herrscher. Alle würden es sehen, und du würdest dann regieren und alles ganz anders machen.
Ich kann mir das kaum vorstellen. Aber wenn du es damals so versprochen hast, wird es auch kommen.
Hilf mir, so zu leben, daß du dich über mich freuen kannst. Ich möchte so gerne dabei sein, wenn du regierst.

Macht hoch die Tür, die Tor macht weit;
es kommt der Herr der Herrlichkeit,
ein König aller Königreich',
ein Heiland aller Welt zugleich,
der Heil und Leben mit sich bringt;
derhalben jauchzt, mit Freuden singt:
Gelobet sei mein Gott,
mein Schöpfer reich von Rat.

Georg Weissel 1623

Ich danke dir für die Adventszeit, Jesus. Es ist alles so schön: Kerzen brennen, es gibt Gebäck, und der Adventskalender macht das Warten auf Weihnachten besonders spannend.
Mir tun alle Menschen leid, die so unruhig sind und das Schöne am Advent nicht verstehen. Vielleicht ist das so, weil sie dich nicht kennen.
Hilf ihnen, dich kennenzulernen. Und hilf mir, daß ich mich nicht nur über die schönen Dinge freue, sondern hauptsächlich über dich.

Weihnachten

Es ist für uns eine Zeit angekommen,
es ist für uns eine große Gnad.
Unser Heiland Jesus Christ,
der für uns, der für uns,
der für uns Mensch geworden ist.

Damals, als Kaiser Augustus wissen wollte, wie viele Menschen in seinem Reich lebten, kam Josef mit Maria nach Bethlehem. Dort mußten sie sich in die Steuerlisten eintragen lassen.
Als sie in Bethlehem waren, kam die Zeit, da Maria Mutter werden sollte. Und sie gebar ihren Sohn, den Erstgeborenen. Sie wickelte ihn in Windeln und legte ihn in einen Futtertrog. In der Herberge gab es ja keinen Platz für sie.

nach Lukas 2,1–7

Ich steh' an deiner Krippen hier,
o Jesu, du mein Leben;
ich komme, bring' und schenke dir,
was du mir hast gegeben.
Nimm hin, es ist mein Geist und Sinn,
Herz, Seel und Mut, nimm alles hin
und laß dir's wohl gefallen.

Paul Gerhardt 1653

Freu dich, Erd und Sternenzelt, halleluja;
Gottes Sohn kam in die Welt, halleluja.
Uns zum Heil erkoren,
ward er heut geboren,
heute uns geboren.

Ruft die Botschaft froh hinaus, halleluja;
nehmt sie mit in jedes Haus, halleluja.
Uns zum Heil erkoren,
ward er heut geboren,
heute uns geboren.

Gott erbarmt sich dieser Welt, halleluja;
singe, Erd und Sternenzelt, halleluja.
Uns zum Heil erkoren,
ward er heut geboren,
heute uns geboren.

Leitmeritz 1844

Die Nacht ist lang und dunkel,
doch bei uns ist es hell:
Die Kerzen brennen am Tannenbaum.
Wir feiern deinen Geburtstag – Jesus.
Wir singen dir unsere Lieder.
Wir beschenken einander,
wir machen einander froh.
Und wir danken dir, für die Freude,
die du uns schenkst.

Zu Weihnachten habe ich eine Eisenbahn bekommen. Stundenlang kann ich zusehen, wie die Lokomotive die Wagen durch Tunnels und über Berge zieht.
Vater und Mutter haben meinen größten Weihnachtswunsch erfüllt. Ich bin glücklich.
Manchmal denke ich an die Kinder, die keine Weihnachtsgeschenke bekommen, ja nicht einmal das Nötigste zum Anziehen und zum Essen haben. Mama ist einverstanden, daß ich ihnen die Pullis vom vergangenen Jahr schenke und das Geld aus meinem Sparschwein.
Danke, liebe Eltern. Danke, lieber Gott.

Jesus, du bist wie ein Stern.
O wie haben wir dich gern.

Du bist als Mensch
zu uns gekommen
und hast uns alle Angst genommen.
Denn keiner ist jetzt mehr allein.
Du willst immer bei uns sein.

Jesus, du bist wie ein Stern,
O wie haben wir dich gern.

An deiner Krippe stehen wir
und beten alle nun zu dir.
Bleib bei uns an jedem Tag,
was auch immer kommen mag.

Jesus, du bist wie ein Stern.
O wie haben wir dich gern.

Margrit M. Boos

Dir gehört die Zeit

Heute bete ich mal ein bißchen kürzer, lieber Gott. Ich habe nämlich keine Zeit. Ich habe noch was Wichtiges vor. Das heißt, Zeit habe ich schon. Nur nicht für dich.
Aber da fällt mir ein – das ist eigentlich nicht richtig. Für dich sollte ich Zeit haben. Du hast ja auch immer Zeit für mich. Vergib mir, daß ich manchmal so eilig bin, statt Zeit zu haben. Für dich und für andere Menschen. Gib mir mehr Geduld. Und hilf mir, meine Zeit einzuteilen.

Gott, du bist ewig. Von deiner vielen, vielen Zeit hast du uns viel abgegeben. Jeden Tag vierundzwanzig Stunden, und jede Stunde sechzig Minuten, und jede Minute sechzig Sekunden. Das sind vierundzwanzig mal sechzig ... du weißt es schon selbst, wie viele Sekunden am Tag. Und dann erst im Jahr!
Ich finde das toll, Gott! Und jede Sekunde kommt von dir! Jede gehört dir eigentlich. Und jede Sekunde bist du bei mir. Ich danke dir dafür! Ich lobe dich, du ewiger Gott!

Lieber Gott, ich habe eine Uhr, und ich kann sie auch lesen. Aber manchmal komme ich trotzdem zu spät, weil ich vergesse draufzugucken. So wie heute. Bitte erinnere mich doch immer rechtzeitig daran.
Hilf mir, mit meiner Uhr richtig umzugehen. Und auch mit meiner Zeit.

Der du allein der Ewige heißt
und Anfang, Ziel und Mitte weißt
im Fluge unsrer Zeiten;
bleib du uns gnädig zugewandt
und führe uns an deiner Hand,
damit wir sicher schreiten!

Jochen Klepper

Lieber Herr Jesus, ich freue mich jedes Jahr auf Silvester, weil ich dann lange aufbleiben darf, und weil es so schön knallt. Aber ich möchte an Silvester auch an dich denken.
Du hast mich in dem alten Jahr behütet. Viele schöne Tage hast du mir geschenkt. Dafür danke ich dir. Bitte behüte mich im neuen Jahr genauso und schenke mir wieder viele schöne Tage.

Miteinander – Füreinander

Wir, deine Kinder

Vater im Himmel,
wir danken dir,
daß wir deine Kinder sind.
Wir danken dir,
daß du uns eingeladen hast,
zu deiner Familie zu gehören.
Wir danken dir,
daß wir überall auf der Welt
Brüder und Schwestern haben.

Hilf uns,
daß wir immer
als Brüder und Schwestern
der einen großen Familie leben.

aus Australien

Lieber Gott,
Mami spricht mit dir,
wenn sie traurige Augen hat.
Als Tobias auf der Treppe stürzte,
sagte Papi: Mein Gott.
Du bist Gott für Papi und Mami.
Du bist Gott für uns alle.

Weißt du, wieviel Sternlein stehen
an dem blauen Himmelszelt?
Weißt du, wieviel Wolken gehen
weit hin über alle Welt?
Gott der Herr hat sie gezählet,
daß ihm auch nicht eines fehlet
an der ganzen großen Schar.

Wilhelm Hey 1837

Anke ist meine beste Freundin.
Manchmal läßt sie mich
auf ihrem Fahrrad fahren.
Sie weiß viel,
aber dich, lieber Gott,
kennt sie nicht.
Sie weiß nicht,
daß man mit dir reden kann.
Ich bitte dich für Anke,
vergiß sie nicht.

Kommt, wir baun uns heut ein Haus,
viele Kinder, groß und klein,
schwarze, gelbe, rote, braune,
sollen unsre Gäste sein.

Und wir mauern und wir graben,
Gott, von dem wir alles haben.
Steine, Wasser, Lehm und Sand,
schenkt uns deine gute Hand.

Und wir pflanzen Blumen, Bäume,
doch wir setzen keinen Zaun.
Frei sind alle Wege, Grenzen,
wo wir unsere Häuser baun.

Und wir pflanzen und wir graben,
Gott, von dem wir alles haben.
Sonne, Blumen, Wasser, Sand,
schenkt uns deine gute Hand.

Barbara Cratzius

Wir leben miteinander

Gott, unser Vater,
du hast jedem von uns eigene Gaben gegeben:
Der eine kann gut singen, die andere gut rechnen.
Der eine kennt sich mit Autos aus, die andere kann Kleider nähen.

Hilf uns, daß jeder herausfindet, was er besonders gut kann. Hilf uns, daß jeder lernt, mit seiner Begabung umzugehen. Dann können wir einander helfen und miteinander leben als deine Kinder.

Ich möchte gern groß sein,
und reich möchte ich sein.
Gescheit möchte ich sein,
ein Häuserbauer.
Dann ginge ich zu den armen Leuten
und baute für sie feste Häuser.
Ein Brunnengräber möchte ich sein,
dann ginge ich zu denen, die Durst haben
am Rande der Wüste.
Eine Kinderärztin möchte ich sein,
dann sorgte ich für die Kleinen,
die von bösen Fliegen gestochen werden.
Laß mich groß werden, lieber Gott,
und laß mich nicht vergessen,
mit anderen zu teilen
und ihnen zu helfen.

Das wünsche ich mir:
Es wäre schön, Jesus,
wenn ich dich sehen könnte
und fragen: Was soll ich tun?

Wenn ich deine Hand spüren,
deine Schritte hören
und neben dir gehen könnte.

Hilf mir, daß ich den Weg finde
zu denen, die krank sind,
und zu denen,
die keinen Freund haben;
daß ich das Teilen lerne
mit denen,
die nichts haben.

Lehre uns, Herr, zu werden, wie du uns willst,
du hast uns ja lieb.
Lehre uns, Herr, daß wir mit Herz und Augen
erkennen, wie du uns gedacht hast;
du hast uns ja lieb.
Lehre uns, daß wir die Gaben deiner Schöpfung
recht gebrauchen;
du hast uns ja lieb.
Lehre uns, Herr, dich zu lieben;
du hast uns ja lieb.

Damit die Welt gut bleibt

Am Anfang sprach Gott zu dem Mann und zu seiner Frau: Seid glücklich; habt Kinder miteinander. Lebt auf der Erde und erkundet sie.
Sorgt für die Tiere, die im Wasser leben, für die Vögel in der Luft und für alle Tiere auf dem festen Land.
Ich vertraue euch die Kräuter, die Büsche und die Bäume an, die aus der Erde wachsen.
Von ihren Früchten könnt ihr essen – ihr und die Tiere.

Nach 1. Mose/Genesis 1,28–29

Herr, wir bitten dich darum,
daß es keine abgebrannten Häuser
mehr gibt auf dieser Welt,
keine Menschen mehr in Häusern,
die wie Bäume ohne Blätter sind.

Herr, wir bitten dich darum,
daß die Menschen auf den Straßen
keine Gewehre mehr tragen,
daß es keine Not und Verzweiflung mehr gibt,
sondern nur noch Freude und Liebe.

aus dem Libanon

Du hast die Erde erschaffen, Gott,
du hast sie gut gemacht:

Bäume wachsen und tragen Frucht,
Blumen gedeihen, Korn und Reis.
Du hast uns Menschen erschaffen, Gott,
damit wir die Erde schützen und hüten,
die Erde und alles was auf ihr lebt.
Am Anfang war alles gut.

Warum ist es nicht gut geblieben?
An so viel Bösem sind
wir Menschen schuld:
Daran, daß manche Tiere
keinen Platz mehr finden,
an dem sie leben können;
daran, daß die Fische im Wasser ersticken;
daß die Möwen mit verklebten Flügeln sterben.
Auch daran, daß viele Väter
und Mütter nicht wissen,
was sie ihren Kindern
zu essen geben sollen.

Ich bitte dich,
sei bei den Frauen und Männern,
die dafür arbeiten,
daß unsere Erde wieder schön wird
wie ein Garten,
in dem alle miteinander leben können.

Gott liebt diese Welt,
und wir sind sein Eigen.
Wohin er uns stellt,
sollen wir es zeigen.
Gott liebt diese Welt.

Gott liebt diese Welt.
Er rief sie ins Leben.
Gott ist's, der erhält,
was er selbst gegeben.
Gott gehört die Welt.

Walter Schulz

Was Jesus zu seinen Freunden sagt

Jesus sagt zu seinen Freunden:
Wenn du auf dem Weg zum Gottesdienst bist, und plötzlich fällt dir ein: Da gibt es jemand, einen Bruder oder eine Schwester, eine Freundin oder einen Freund, der etwas gegen mich hat – kehr um und versöhne dich mit deinem Bruder oder deiner Schwester. Dann komm zurück um Gott zu loben mit deinen Liedern und Gebeten.

nach Matthäus 5,23–24

Jesus sagt:
Wenn ihr meine Freunde sein wollt,
müßt ihr einander so liebhaben,
wie ich euch liebe.

Wenn ihr meine Freunde sein wollt,
müßt ihr tun,
was ich euch auftrage.
Dies trage ich euch auf:
Liebt einander.

nach Johannes 15

Jesus, ich höre so gern die Geschichten von dir. Wie du so gut gewesen bist zu den Armen, und wie du den Schwachen geholfen hast, und wie du die Kranken gesund gemacht hast. Durch die Geschichten weiß ich, wie du bist.

Danke für die Bibel, Herr. Ich würde dich gar nicht kennen, wenn da nicht alles von dir drinstehen würde. Ich freue mich über die Bibel. Und ich freue mich über dich!

Ich kenne viele Leute

Danke für den neuen Tag, Herr.
Eben bin ich aufgestanden. Es ist hell. Danke für die Männer vom Elektrizitätswerk.
Es war warm. Danke für die Leute vom Gas.
Ich habe mich gewaschen. Danke für die vom Wasserwerk.
Ich habe gefrühstückt. Danke für den Bäcker und die Verkäuferinnen.

Ich habe die leere Margarinedose in den Abfall geworfen. Danke für die Müllmänner.

Und bevor ich gleich in die Schule muß, will ich dir schon mal danken für den Busfahrer, der immer so freundlich ist, und die Schülerlotsen und die Lehrerin.

Danke für all die Menschen, die ich kenne, und daß du ihnen genauso wie mir einen neuen Tag schenkst.

Lieber Gott, sei bei allen Menschen, die ich kenne.
Sei bei der Nachbarin im Krankenhaus, daß sie wieder gesund wird. Sei bei dem großen Jungen von gegenüber, der beim Sportfest gewonnen hat, daß er nicht so stolz wird.
Sei bei dem alten Mann, der immer durch den Park humpelt, daß es ihm besser geht.
Sei bei dem süßen Baby, das immer im Kinderwagen spazierengefahren wird, daß es behütet und fröhlich bleibt.
Lieber Gott, du bist ja bei mir. Darum, wenn ich ihnen begegne, bist du ihnen auch nah. Aber sicher nicht nur dann, sondern immer. Hilf, daß ich das nicht vergesse.

Ich danke dir für unsere lange Straße, lieber Gott.
Da kriege ich alles, was ich brauche.
Im Supermarkt kriege ich Milch.
In der Metzgerei kriege ich Wurst.
In der Post kriege ich Briefmarken.
In der Bäckerei kriege ich Brot.
In der Kirche kriege ich Freude an dir.
Ich kriege hier wirklich alles, was ich brauche.

Lieber Gott, wenn ich für alle bete, dic ich kenne, dauert's viel zu lange. Ich kenne nämlich unheimlich viele. Darum bete ich einfach für unsre ganze Stadt. Du kennst ja noch mehr Leute als ich. Und obwohl es so viele sind, wird es dir nicht langweilig, ihnen allen Gutes zu tun.

Kinder auf der ganzen Welt

Kinder auf der ganzen Welt
beten zu dir, lieber Gott:
Eskimos in Grönland,
wo die Sonne sich wochenlang
kaum sehen läßt,
Indios in Amerika,
Afrikaner in den Savannen
und in den Städten ihres Kontinents,
Beduinen, die auf Kamelen reiten,
Japaner mit Mandelaugen,
Chinesen mit schwarzen Haaren
und gelber Haut . . .
Sie alle beten
in Zelten und in Wellblechhütten,
in festen Häusern und auf Booten,
in Flüchtlingslagern und großen Kirchen –
überall auf der ganzen Welt
beten Kinder zu dir, lieber Gott.

Kemal und Fatma wohnen in unserer Straße.
Ihre Eltern kommen aus einem fremden Land.
Das sieht man Kemal und Fatma an.
Aber beim Spielen
gibt es keinen Unterschied.
Die beiden lachen und rennen
genauso wie wir.
Und du hast sie lieb,
genauso wie uns.

Lieber Jesus,
heute morgen ist meine Schwester
in der Schule umgefallen.
Ihr Lehrer hat mich gerufen,
ob sie nicht gefrühstückt habe.
Hatte sie nicht. Wie auch?
Heute war sie nicht dran mit dem Frühstück.
Und gestern auch schon nicht.
Ich habe Angst vor morgen.
Bitte bleib bei mir.

aus Indien

Im Fernsehen habe ich Kinder gesehen, die haben große Augen und einen dicken Bauch. Sie sitzen auf dem Boden, denn ihre Beine sind so schwach, daß sie nicht stehen können. Viele Kinder haben Hunger – und ich schimpfe manchmal, weil Mutti mir nicht oft genug meine Leibspeise kocht. Lieber Gott, das ist nicht in Ordnung. Ich will zufrieden sein und überlegen, was ich für die hungrigen Kinder tun kann.

Arm und reich

Lieber Gott, gegen die Millionäre sind wir ganz arm. Aber gegen die Menschen in den Trockengebieten und in den Elendsvierteln sind wir unheimlich reich.
Ich danke dir, daß es mir so gut geht. Bitte sorge dafür, daß wir mit den anderen teilen, damit alle gut leben können.

Lieber Herr, Hunger ist so schrecklich.
Bitte hilf den vielen Kindern in anderen Ländern,
die nicht genug zu essen haben.

Lieber Gott, wenn ich ein König wäre, würde ich immer den Armen helfen.
Wenn ich ein Präsident wäre, würde ich mit allen Ländern Frieden machen.
Oder vielleicht doch nicht?
Ehrlich gesagt, lieber Gott, ich bin ja schon als Kind manchmal ungerecht, streitsüchtig und lieblos. Vielleicht wäre ich auch nicht besser, wenn ich viel zu sagen hätte.
Ich bitte dich: Gib mir Liebe zu denen, die ich kenne, und gib den Königen Liebe zu allen Untertanen.
Gib mir Frieden mit meinen Klassenkameraden, und gib den Präsidenten Frieden mit anderen Völkern.

Herr, von meinem Essen kann ich nichts nach Afrika schikken, denn es würde schlecht, bis es da ist. Darum will ich etwas von meinem Taschengeld geben. Mach doch bitte, daß ein Kind, das Hunger hat, davon etwas zu essen bekommt, und daß es sich darüber freut. Es braucht mir auch nicht zu danken. Das ist sowieso schwierig. Aber es soll dir danken.

Vergib mir, Herr Jesus, daß ich manchmal neidisch bin. Ich will es lernen, mich mit denen zu freuen, die mehr haben als ich.
Vergib mir, daß ich manchmal geizig bin. Ich will es lernen, an die abzugeben, die weniger haben als ich.
Vergib mir, daß ich manchmal undankbar bin. Ich will es lernen, für alles, was ich bin, was ich habe und was ich kann, dich zu loben.

Ich möchte alle Menschen mögen

Lieber Gott, ich danke dir für die alte Frau, die auf der anderen Straßenseite wohnt. Sie ärgert sich nicht über uns Kinder, sondern lacht mit uns und erzählt uns was. Neulich hat sie uns sogar Bonbons geschenkt.
Aber es gibt auch andere alte Leute. Sie schimpfen, wenn wir zu laut sind und auf dem Rasen Fußball spielen und der Ball in ihren Garten fällt.
Aber du hast auch diese Leute lieb. Mach, daß ich das nicht vergesse und beim nächsten Mal aufpasse, wenn wir Fußball spielen.

Weise mir, Herr, deinen Weg;
ich will so leben,
wie du es willst.

nach Psalm 86,11

Lieber Gott, ich möchte gern mit Britta befreundet sein. Sie ist toll und sie steht immer im Mittelpunkt. Aber sie beachtet mich gar nicht. Dafür hängt mir immer Yüksel auf der Pelle. Na ja, eigentlich könnte ich ja auch mit Yüksel befreundet sein. Auch wenn sie bei den anderen nicht viel gilt. Schließlich hast du dich ja auch immer um die gekümmert, die nicht viel galten. Mach, daß ich sie gerne haben kann. Ich danke dir für Yüksel.

Jesus, manche Menschen mag ich.
Aber andere finde ich doof.
Es gibt einige, die ärgern mich immer.
Einige sind so langweilig.
Es gibt auch welche, vor denen ich Angst habe.
Du liebst alle Menschen. Ich glaube, es ist nicht gut, Jesus, wenn ich Leute hasse, die du liebst. Hilf mir, daß ich sie auch lieben kann. Wenigstens ein bißchen.

Warum haben's manche so schwer?

Herr, warum können manche Leute nicht laufen?
Warum haben andere immerzu Schmerzen?
Warum müssen einige immer wieder ins Krankenhaus?
Warum können manche noch nicht einmal richtig denken?
Ich weiß das alles nicht, Herr.
Aber du weißt es.

Heute habe ich ein blindes Mädchen gesehen. Es tut mir so leid.
Lieber Gott, kannst du ihr nicht wieder gesunde Augen geben?
Ich danke dir, daß das Mädchen jemand hat, der sich um es kümmert.
Ich danke dir für alle Blindenhunde.
Ich danke dir, daß es Hörgeräte und Krücken und Rollstühle gibt, für die, die sie brauchen.

Lieber Vater im Himmel,
ich danke dir, daß ich hören kann. Hilf allen, die taub sind.
Ich danke dir, daß ich sehen kann. Hilf allen Blinden.
Ich danke dir, daß ich mich bewegen kann.
Hilf allen Gelähmten.
Und noch etwas, lieber Vater: Ich danke dir,
daß ich helfen kann.
Hilf mir, daß ich's auch gern tue!

Herr Jesus, ich verstehe gar nicht, warum du die Menschen nicht gesund machst, die so schwer krank sind. Du kannst es doch. Du mußt irgendeinen guten Grund haben. Hilf doch bitte, daß die Kranken dir vertrauen können.

Wir beten füreinander

Herr, denk an alle, die keine Zeit
zum Beten haben. Vergiß sie nicht.
Sei denen gut, die krank sind und
verlassen.
Laß die Heimatlosen, die Flüchtlinge
deine Nähe spüren.
Zeig denen, die keinen Ausweg wissen,
wie es weitergeht.
Und gib uns allen ein großes Herz
und offene Hände, und ein rechtes
Wort für alle Not.

Markus hat ein Bein gebrochen.
Evas Mutter liegt im Krankenhaus.
Christians Opa kann nicht mehr gehen.
Ich bitte dich für alle,
die krank sind.
Laß sie gesund und fröhlich werden.
Laß sie spüren, daß du da bist.

Wer einen anderen anlacht,
der lacht dich an.
Wer einem Kranken Blumen bringt,
der bringt sie dir.
Wer sein Brot mit einem anderen teilt,
der teilt es mit dir.
Du hast es so gesagt, Jesus.
Ich habe also dich angelacht
und dir die Blumen gebracht.

Ich bitte dich heute
für unsere Lehrerin,
bei der wir lesen und schreiben lernen;
für unseren Pfarrer, der
uns von dir erzählt;
für die Zeitungsfrau
und den Postboten,
für den Busfahrer
und den Polizisten.
Beschütze alle, die arbeiten,
damit wir gut und sicher leben können.

Kinder streiten um kleine Sachen.
Sie können rasch wieder gut sein miteinander.
Erwachsene haben es schwerer, dem Streit ein Ende zu machen. Es fällt ihnen schwer, zuzugeben, daß sie Unrecht hatten.
Wenn Völker miteinander streiten,
wenn sie Krieg führen gegeneinander,
ist das ein Unglück für alle Menschen, die betroffen sind.
Ich bitte dich, lieber Gott,
laß alle, die Krieg führen gegeneinander
zur Einsicht kommen, daß miteinander reden
besser ist als aufeinander schießen.
Laß sie zur Einsicht kommen, daß Menschen einander
gut sein und in Frieden miteinander leben können.

Unsere Toten sind bei dir

Vor den Eltern waren die Großeltern, und vor denen die Urgroßeltern, und vor denen die Ururgroßeltern, und immer so weiter. Ich finde es toll, daß du damals auch schon da warst, lieber Gott. Und später wirst du auch immer da sein. Nur die Menschen sterben, aber du stirbst nie. Ich will dich loben, weil du ewig bist.

Lieber Gott, wenn mein Opa jetzt in deinen Himmel kommt, dann nimm ihn bitte freundlich auf. Vergiß nicht, daß er immer so gut zu mir war.
Nein, das wirst du nicht. Du vergißt nie etwas. Nur unsre Sünden vergißt du, wenn wir dich um Verzeihung bitten.
Vergiß doch bitte alles, was Opa vielleicht Böses getan hat, und laß ihn jetzt ganz nah bei dir sein.

Jesus, Sterben ist so etwas Trauriges.
Alle haben schwarze Kleider an und reden ganz anders als sonst, und manche weinen sogar.
Ich bin so gern fröhlich, Jesus, aber jetzt muß ich auch traurig sein. Ich kann gar nicht anders.
Aber ich merke, daß es gut ist, wenn ich darüber mit dir spreche. Das macht mich doch wieder ein bißchen glücklicher.

Lieber Jesus, du weißt es längst:
Meine Oma ist sehr krank.
Die Ärzte haben gesagt:
Sie wird nicht mehr gesund.
Mama sagt: Oma geht bald in den Himmel zu dir.
Es ist doch schrecklich,
daß jeder allein sterben muß.
Papa sagt, er hat nachgedacht,
wie es mit dem Sterben geht –
ganz sicher weiß er es nicht, aber er denkt,
daß Oma durch einen finsteren Gang gehen wird.
Und am Ende des Ganges stehst du.
Dann nimmst du Oma mit
in einen Himmel voll Freude.
Darf ich dich um etwas bitten, lieber Jesus?
Komm doch Oma ein Stück entgegen,
das wird sie sicher froh machen.
Danke schön, lieber Jesus.

Jeanne Hoeberechts

Wir loben dich

Vater unser im Himmel,
geheiligt werde dein Name.
Dein Reich komme.
Dein Wille geschehe,
wie im Himmel, so auf Erden.
Unser tägliches Brot gib uns heute.
Und vergib uns unsere Schuld,
wie auch wir vergeben
unsern Schuldigern.
Und führe uns nicht in Versuchung;
sondern erlöse uns von dem Bösen.
Denn dein ist das Reich und die Kraft
und die Herrlichkeit in Ewigkeit.
Amen.

Lobet den Herrn vom Himmel her,
lobt ihn in den Höhen.
Lobt ihn, all seine Engel.
Lobt ihn, Sonne und Mond,
lobt ihn, all ihr leuchtenden Sterne.

Lobet den Herrn, ihr auf der Erde,
ihr wilden Tiere und alles Vieh,
ihr Könige der Erde und alle Völker,
ihr jungen Männer und auch ihr Mädchen,
ihr Alten mit den Jungen!

Loben sollen sie den Namen des Herrn!
Halleluja!

aus Psalm 148

Kein Tierlein ist auf Erden
dir, lieber Gott, zu klein.
Du ließt sie alle werden,
und alle sind sie dein.
Zu dir, zu dir
ruft Mensch und Tier.
Der Vogel dir singt,
das Fischlein dir springt,
die Biene dir brummt,
der Käfer dir summt.
Auch pfeift dir das Mäuslein klein:
Herr, Gott, du sollst gelobet sein.

Clemens Brentano 1778–1842

Ich preise dich, Gott!
Dir sing ich mein Lied.
Du bist groß und du liebst,
du schützt und du gibst,
läßt die Sonne uns scheinen,
siehst die Großen und Kleinen.
Ich preise dich, Gott,
dir sing ich mein Lied.

Großer Gott, wir loben dich,
Herr, wir preisen deine Stärke.
Vor dir neigt die Erde sich
und bewundert deine Werke.
Wie du warst vor aller Zeit,
so bleibst du in Ewigkeit.

Auf dem ganzen Erdenkreis
loben Große und auch Kleine
dich, Gott Vater. Dir zum Preis
singt die heilige Gemeinde;
sie verehrt auf seinem Thron
deinen eingeborenen Sohn.

Ignaz Franz 1771

Textnachweis

Wir danken folgenden Verlagen und Autoren für ihre Erlaubnis zum Abdruck:

Anne d'Arcy, Lieber Gott, wir loben dich, Patmos Verlag, Düsseldorf, 3. Aufl. 1984: S. 10 Mitte (i.A.)

Eleonore Beck, Lieber Gott. Kinder beten, Verlag Butzon & Bercker, Kevelaer, 6. Aufl. 1986: S. 64 Mitte (geringfügig geändert)

Eleonore Beck, So können Kinder beten, Verlag Butzon & Bercker, Kevelaer 1988: S. 31, 37 unten – 38 oben, 48, 65 oben, 69, 75 oben, 82 unten, 83 unten

T: Hermann Bergmann, Glorialied aus: Pfälzer Kindermesse, SU 330, Rechte: Studio-Union im Lahn-Verlag, Limburg: S. 51

Margrit M. Boos, Kindergartenkinder beten im Kirchenjahr, Verlag Butzon & Bercker, Kevelaer 1989: S. 61

Barbara Cratzius, Heikendorf bei Kiel, Rechte bei der Autorin: s. 65 (i.A.)

Du bist mein Freund, mission aktuell Verlag, Aachen: S. 13 oben

Halte uns in deiner Hand. Kindergebete aus aller Welt, hrsg. v. Claudia Nothelle, Verlag Butzon & Bercker, Kevelaer 1990: S. 9 oben, 38 unten, 64 oben, 75 unten

Jeanne Hoeberechts, Gott, ich habe eine Überraschung für dich. Gebete von Kindern für Kinder, Verlag Butzon & Bercker, Kevelaer 1980: S. 43 unten – 44 oben (geringfügig geändert), 86 unten (geringfügig geändert)

T: Bodo Hoppe aus: Wenn ich lache, wenn ich weine (2 Str. von »Wo ich gehe . . .«), Rechte: Hänssler Musik Verlag, Kirchheim: S. 35 (2. Strophe)

Jochen Klepper, Neujahrslied aus: Kyrie, Rechte: Luther Verlag, Bielefeld: S. 62

Sigisbert Kraft, Bonn, Rechte beim Autor: S. 35

T: Kurt Rommel aus: Neue geistliche Lieder, BE 285, Gustav Bosse Verlag, Regensburg: S. 39

T: Walter Schulz aus: Sing mit – Trinitatis, Rechte: Burckhardthaus-Laetare Verlag, Offenbach: S. 70

Renate Schupp, Erntedankgebet aus: »Steig ein – fahr mit«, ein Spiel- und Bastelbuch, Verlag Ernst Kaufmann, Lahr: S. 55

E. Vitzthum, Kinderpsalm: »Gott der Herr gibt seinen Segen . . .« aus: Elisabeth Gröfin Vitzthum, Kinderpsalmen, Kösel-Verlag, München 1951: S. 43

Bibeltexte

aus der Übersetzung Martin Luthers, revidierte Fassung von 1984, Rechte: Deutsche Bibelgesellschaft, Stuttgart: S. 14, 33, 41

aus der Einheitsübersetzung der Heiligen Schrift, Rechte: Katholische Bibelanstalt, Stuttgart 1980: S. 16, 18, 36, 41, 88

Fotonachweis

Seite 2 u. 3: Benser – ZEFA, Düsseldorf
Seite 4: Dr. Mueller – ZEFA, Düsseldorf
Seite 11: ZEFA, Düsseldorf
Seite 12: Blume – ZEFA, Düsseldorf
Seite 15: ZEFA, Düsseldorf
Seite 18: Norman – ZEFA, Düsseldorf
Seite 19: A. Vogel – ZEFA, Düsseldorf
Seite 21: Alexandre – ZEFA, Düsseldorf
Seite 23: Orion Press – ZEFA, Düsseldorf
Seite 25: Bramaz – ZEFA, Düsseldorf
Seite 27: T. Ives – ZEFA, Düsseldorf
Seite 28: Heymer, Bjorn, Münster
Seite 28: Voigt, C. – ZEFA, Düsseldorf
Seite 29: Benser – ZEFA, Düsseldorf
Seite 31: Maehl – ZEFA, Düsseldorf
Seite 32: Masterfile – ZEFA, Düsseldorf
Seite 34: Biedermann – ZEFA, Düsseldorf
Seite 36: Benelux – ZEFA, Düsseldorf
Seite 37: Norman – ZEFA, Düsseldorf
Seite 39: Pfaff – ZEFA, Düsseldorf
Seite 40: Kampner – ZEFA, Düsseldorf
Seite 42: Armstrong – ZEFA, Düsseldorf
Seite 44: Havlicek – ZEFA, Düsseldorf
Seite 45: Rosenfeld – ZEFA, Düsseldorf
Seite 47: E. Müller, Titisee-Neustadt
Seite 48: ZEFA, Düsseldorf
Seite 51: Rosenfeld – ZEFA, Düsseldorf
Seite 52: Rommel – ZEFA, Düsseldorf
Seite 56: Boutin – ZEFA, Düsseldorf
Seite 58: ZEFA, Düsseldorf
Seite 60: Eigen – ZEFA, Düsseldorf
Seite 63: Parker – ZEFA, Düsseldorf
Seite 64: Manthei – ZEFA, Düsseldorf
Seite 65: Damm – ZEFA, Düsseldorf
Seite 66: C. Voigt – ZEFA, Düsseldorf
Seite 66: D. Herzog, Tuttlingen
Seite 67: Orion Press – ZEFA, Düsseldorf
Seite 68: A. Polec, Offenbach
Seite 69: N. Schaefer – ZEFA, Düsseldorf
Seite 74: Kriegelstein – ZEFA, Düsseldorf
Seite 76: Schaefer – ZEFA, Düsseldorf
Seite 77: Present Foto – ZEFA, Düsseldorf
Seite 79: Mathe – ZEFA, Düsseldorf
Seite 83: Masterfile – ZEFA, Düsseldorf
Seite 84: Thoma – ZEFA, Düsseldorf
Seite 85: Vloo – ZEFA, Düsseldorf
Seite 87: Havlicek – ZEFA, Düsseldorf
Seite 89: Photofile – ZEFA, Düsseldorf
Seite 94 u. 95: Benser – ZEFA, Düsseldorf